D1206514

© SEFAM, 2001
22, rue Huyghens, 75014 PARIS
ISBN 2-226-12689-9

GASTON

ET VOGUE LA GALÈRE

L'ART DE SURVIVRE AU JOUR LE JOUR

galère

n.f.(catalan galera)
1- Bâtiment de guerre ou de commerce à rames et à voiles (XVIIIeme siecle).
2- fam. Situation difficile, désagréable ; Condition précaire ; Travail pénible ; Problème ; Vogue la galère ! advienne que pourra (1960)

ALBIN MICHEL

M

... à René, pour le jour où il saura lire et
qu'il sera un peu moin mort...

...à Cristof, prince des saltimbanques,
n° d'écrou 11281, cellule 116

...à la caravane des quartiers, et à son
ramassis de pouilleux

...aux pauvres, pour qu'ils soient un peu moin pauvres

...aux riches, pour qu'ils soient un peu moin riches

...à mes chiards, Luka et Morgane, que j'aime
plus que tout le reste réuni

LA MÉTAPHORE DE LA GALÈRE

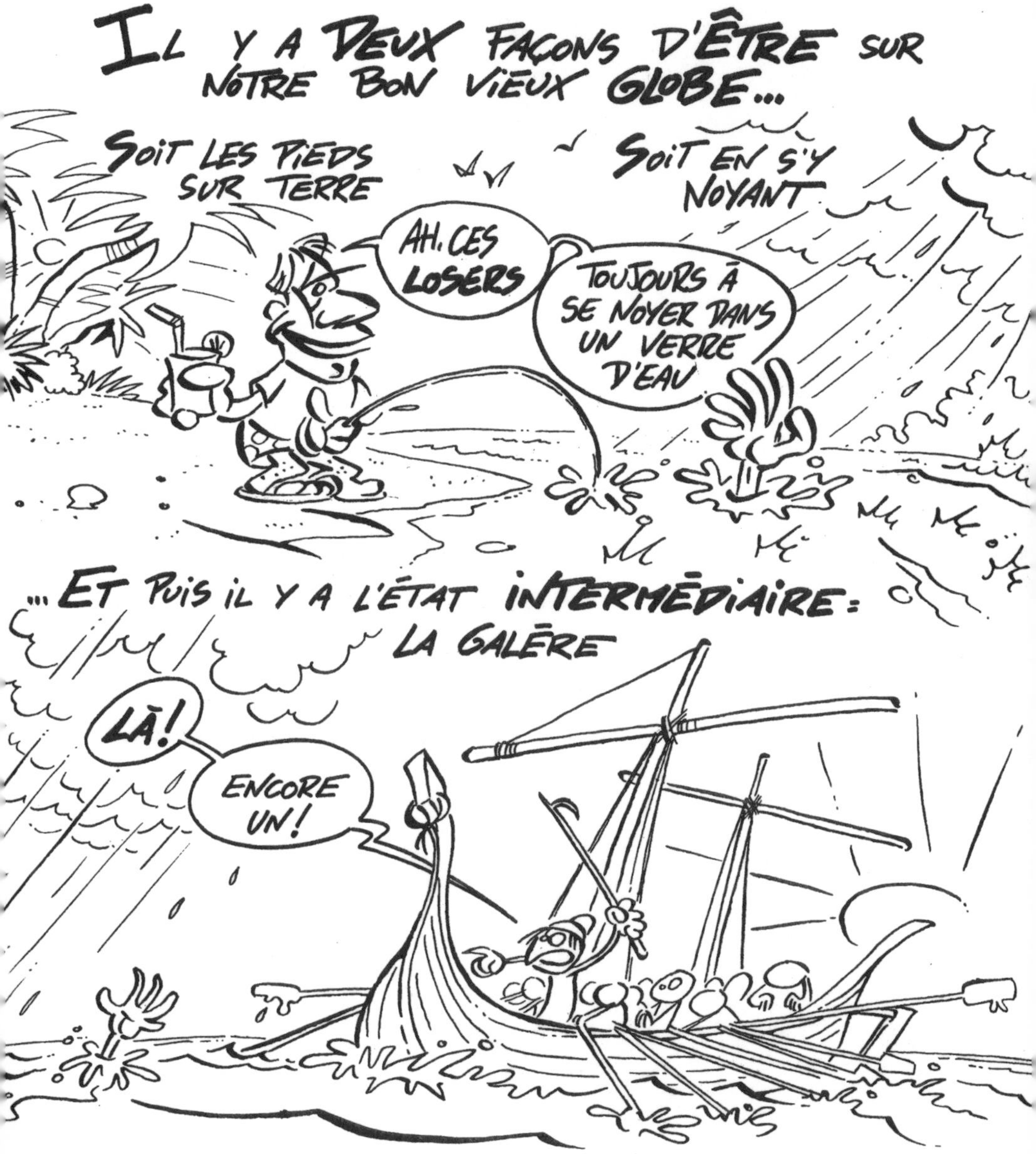

... C'EST SYMPA, LA GALÈRE...
...ON N'Y EST PAS TOUT SEUL...
IL EST DES NOÔTRES IL A PRIS SA TASSE COMME LES AAUTRES.
...C'EST UN BATEAU QUI POURRAIT S'APPELLER "LES COPAINS D'ABORD"
T'ÉTAIS MAL BARRÉ, HEIN !?
AUJOURD'HUI ÇA VA MIEUX..
... ON BARRE POUR TOI
UNE GALÈRE, C'EST TOUJOURS UN VOYAGE
L'HORIZON Y EST PLUS LARGE QU'À TERRE
LE TOUT QUAND ON EST DANS LA GALÈRE ...
... C'EST DE SE DÉSIGNER UNE DIRECTION

SEULEMENT, DANS LA GALÈRE, FAUT RAMER
ET OURQUOI ?
...LE SURPLACE, C'EST LA MORT
AVANT, JE PÉDALAIS DANS LA SEMOULE
C'ÉTAIT PIRE
LE BUT ÉTANT DE RETROUVER UNE TERRE FERME
LÀ
UNE TERRE PROMISE
PROMISE À QUI ?
PAR QUI ?
...CAR LA GALÈRE N'EST VIABLE QU'EN TANT QU'ÉTAT PASSAGER
EEH! MAIS
J'ÉTAIS BIEN EN TANT QUE PASSAGER MOI!
JUSTEMENT
FINIE LA CROISIÈRE
AU CHARBON

QUI ES-TU, GALÉRIEN ?

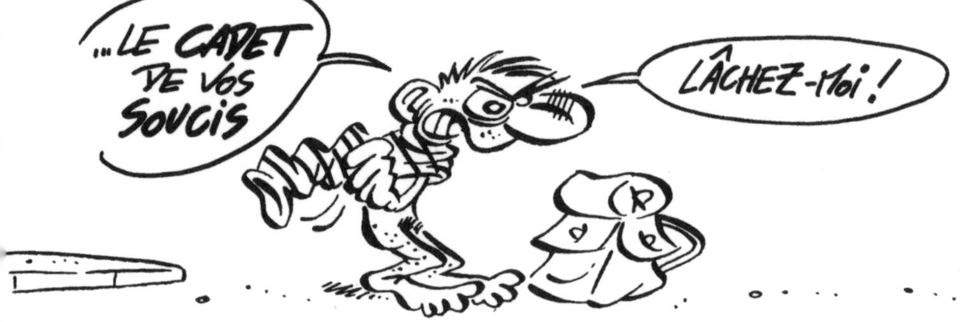

QUI ES-TU, GALÉRIEN ?

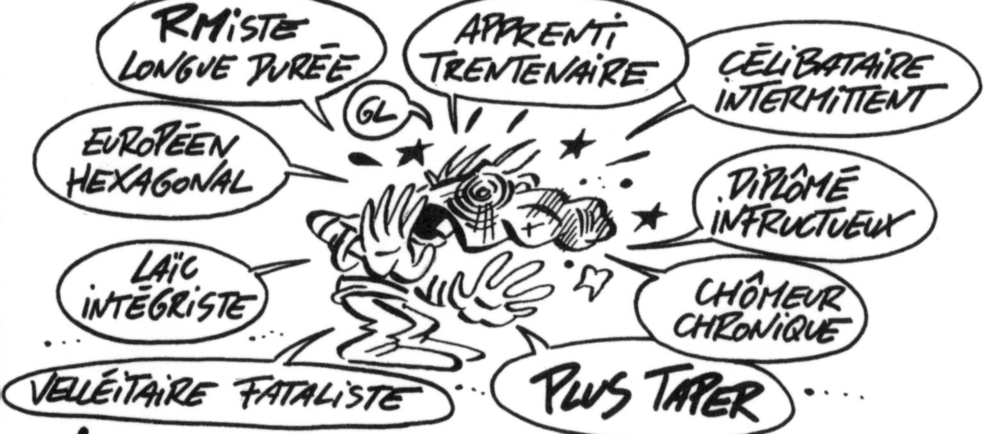

APRÈS QUOI COURS-TU ?

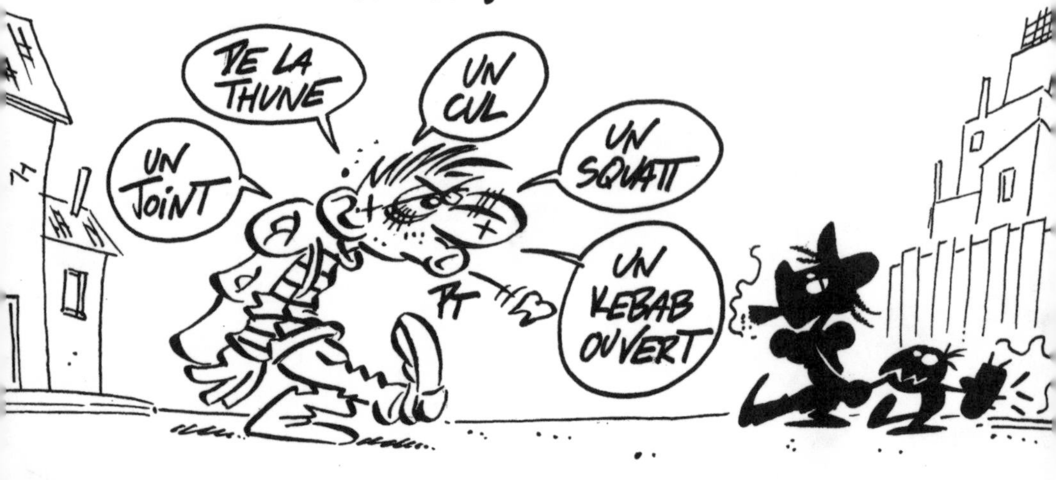

ALORS RACONTE!
...POURQUOI T'ES EN GALÈRE?
TU T'ES SÉPARÉ DE TA DOUCE?
PUISQUE C'EST COMME ÇA ... JE TE LARGUE
T'AS DES PARENTS PAUVRES?
REMERCIE NOUS PLUTÔT ...
TU NOUS AURAIS MÉPRISÉS D'ÊTRE FILS DE RICHE
T'ES FÂCHÉ AVEC LE TRAVAIL?
C'EST LE TRAVAIL QU'EST FÂCHÉ AVEC MOI...
ON A DIVORCÉ À L'AMIABLE
PFOU!

T'ES UN AMOUREUX DE LA PAUVRITUDE ? TU AS RAISON :

VIVE LES PAUVRES

RIEN QUE PARCE QUE NOUS ON NE L'EST PAS...

A BAS LES RICHES

QUAND ILS ETALENT LEUR THUNE...

... ILS NOUS NARGUENT

QUAND ILS LA CACHENT...

... ILS N'ASSUMENT PAS

ILS SONT SECTAIRES

GRAS

PARANOS

HAUTAINS

DE DROITE

QU'EST-CE QU'ILS NOUS VEULENT. CES PAUVRES...?

... SI NOMBREUX ?

LES RICHES DE NAISSANCE SONT INFRÉQUENTABLES
C'EST DONC ÇA DES PAUVRES ?
ALLEZ
TU FAIS TA PHOTO POUR TON EXPOSÉ ET ON S'EN VA...
LES NOUVEAUX RICHES SONT À PLEURER...
J'LES VEUX TOUS !!
LOTO 500000
LE PUR NAIN DE JARDIN
ET LES PAUVRES RICHES, C'EST LES PIRES
MAIS NON VOUS N'ÊTES PAS DES ESCLAVES...
ON EST ENTRE NÈGRES, C'EST DIFFÉRENT..

C'EST NE PAS PAYER D'IMPÔTS
CAF
POUR ASSISTER DES RMISTES DANS MON GENRE ?
PIS QUOI ENCORE ?
P.M.U.
C'EST REFUSER LE SYSTÈME DE CONSOMMATION
MOI, AU MOINS...
JE NE POLLUE QUE L'ÉCONOMIE
YOPLAIT
C'EST SE FERMER LES PORTES DE L'AMOUR
J'AI BESOIN D'ÊTRE SÉCURISÉE MOI !!
QUAND JE BOSSAIS ...
... J'ÉTAIS "PAS ASSEZ DISPONIBLE"
ALORS, HEIN, LE CHOMDU...
C'EST ÊTRE LIBRE !

ES MILLIERS DE PAYSAGES À VISITER

ES MILLIONS DE GENS À RENCONTRER

DES MILLIARDS DE KILOMÈTRES À ARPENTER

... ET JUSTE **3** PAUVRES MILLIARDS DE SECONDES
(= TEMPS D'UNE VIE) POUR EFFLEURER TOUT ÇA...

FAIRE DE L'AUTO-STOP

C'EST ENTRER EN CONTACT.. ...HUMAIN

C'EST FEUILLETER UN ECHANTILLON DU "GRAND CATALOGUE...

..DE LA FAUNE HUMAINE "

"CE SONT SOUVENT D'ANCIENS AUTOSTOPPEURS,

L'AUTO-STOP N'EST PAS DÉMOCRATIQUE
IL A SES EXCLUS..
LA PARITÉ N'Y EST PAS RESPECTÉE
ET MÊME SI LE TRAIN EST PLUS RAPIDE, PLUS CONFORTABLE...
PAS DE BILLET? VOUS AVEZ UNE ...?
C.I.
...SUR MON ARDOISE
..PIÈCE D'IDENTITÉ AVEC ANCIENNE ADRESSE, BIEN SÛR ...
L'AUTO-STOP EST UN VRAI FACTEUR D'AVENTURE
POSITIVONS
UN JOUR, J'EN FERAI UNE CHANSON
SI TU CHERCHE UN BATTEUR
OÏ! OÏ!

QUAND ON TRAÎNE, ÇA PEUT NOUS MENER À
LA CAMPAGNE

LA NATURE, C'EST BEAU...

LOIN DE L'ARGENT ROI

LE RÊVE DE L'AUTARCIE

LES GRANDS ESPACES À PAS CHER
ICI, DANS DEUX ANS..
...LA CHAMBRE D'AMI!
AH?
J'VAIS REPASSER DANS DEUX ANS. ALORS
LOIN DES GENS
TU REVIENDRAS?
T'ENVERRAS DES AMIS...
ECRIS
ENVOIE DES TEXTOS
OUI
OUI
LA VIE PROCHE DES ANIMAUX
TOI AU MOINS T'ES COMME MOI ...
... T'AIMES LES CULS-TERREUX
FINALEMENT, LA CAMPAGNE...
ON S'Y FAIT
IER LE JOUR ...
... ÇA FAIT PEUR LA NUIT

EN VILLE, ON TROUVE DE TOUT...
J'VEUX UN KEBAB!
...À LA VACHE FOLLE ET AU PAIN TRANSGÉNIQUE...
LE TOP DE LA GASTRO MONDIALE
"VILLE", ÇA RIME AVEC "FILLE"
EH! SALUT
TON SQUATT EST TOUJOURS AUSSI P'TIT?
PLUS P'TIT QUE TES ILLUSIONS, EN TOUT CAS...
LA "VILLE", C'EST LA "VIE" AVEC DEUX GRANDES "L"
JE PLANE
HI! HI!
QU'IL EST BÊTE, CELUI-LÀ
PA-PA?

LA RUE
C'EST UN MONDE À PART ENTIÈRE

N'IMPORTE QUI PEUT Y GAGNER SA VIE

SHIT?

ECSTASY!

DÉPÊCHE TOI, LAPIN

FAUT QU'JE SOIS RICHE AVANT D'ÊTRE MOCHE

LA RUE A SES LOIS, SES HIÉRARCHIES...

LÀ C'EST MON MUR

LÀ MON CARTON

FAIS GAFFE...

TU VAS MARCHER DANS TA MERDE DE CHIEN

HU! HU!

LA RUE, C'EST UNE RÉFÉRENCE

MOI J'FAIS DU SPECTACLE DE RUE

MOI JE SUIS DE L'ÉCOLE DE LA RUE

MOI, J'SUIS JEAN-LUC DELARUE!

EN VILLE, ON PEUT CREVER DE FROID, JAMAIS DE FAIM

LA BOUFFE

AFRIQUE, EUROPE, ASIE: LE KEBAB EST, A L'INSTAR DE COCA-COLA, UN ALIMENT UNIVERSEL

LE TIERS MONDE QUI NOURRIT LE QUART-MONDE

FAIS PAS CHIER, MOUNIR ... FAIS PÉTER LA HARISSA

LE SANDWICH (PAN BAGNAT, JAMBON BEURRE) NOURRIT TOUTES LES COUCHES SOCIALES

J'AI PAS DE THUNE ALORS JE BOUFFE DES SANDWICHS

J'AI PAS DE TEMPS ALORS JE BOUFFE DES SANDWICHS

VADE RETRO

MAL BOUFFE

CONNARD DE BABA RÉAC

L'INVERSE DE LA MAL-BOUFFE, C'EST LA CHÈRE-BOUFFE

ON NE CRÈVERA JAMAIS DE FAIM TANT QU'IL Y AURA DES FINS DE MARCHÉS...
ON RÉCUPÈRE ÇA POUR UN RAGOÛT ?
ON PEUT
C'EST PAS DU NOURRI AUX FARINES ANIMALES
DES FERMETURES DE FAST-FOOD...
JOSÉ?
ENCORE TOI?
J'ARRIVE PAS À DÉCROCHEEER..
ABOULE UN BIG-MAAAC
. DES RESTOS DU ♡
on compte sur vous
Hi! Hi
À QUAND LES RESTOS DU ♡ ?

ON PEUT SE SERVIR SOI-MÊME DANS LES SUPERMARCHÉS
LE TRUC ?
TOUJOURS RESTER À PROXIMITÉ D'UN ARABE !
LES DISPENSAIRES
TANT QUE C'EST PAS DE L'HOSTIE QU'ON DOIT BOUFFER
ON PEUT MÊME ÊTRE PAYÉE ET NOURRIE EN MÊME TEMPS...
ÇA TE GÊNE SI JE LE GARDE POUR À LA MAISON ?
TUPERWARE

Faut bien dire ce qui est : la galère ne favorise pas toujours l'amour propre

L'HYGIÈNE

À qui juge t-on de la **différence** entre un **galérien** et un **clodo** ?

SNIF SNIF

Au **pifomètre** ?

La **saleté** est une maladie bénigne qui se soigne a l'eau et au **savon**

L'eau, c'est ce truc qu'on met dans le **pastis** ?

Le **savon**, c'est ce truc que ta **femme** va te passer en **rentrant** ?

Sans oublier l'accessoire indispensable du traîne-savate immaculé : **la**

Trousse de Toilette

Pour garçon

Pour fille

IL Y A MILLE ENDROITS OÙ ON PEUT SE LAVER...

ETRE PROPRE SERT AVANT TOUT À FACILITER
LES LIENS SOCIAUX ET PROFESSIONNELS
LA RÉUSSITE SOCIALE SE MESURE AU NOMBRE DE SES LÉCHE-CULS
À MOI!
J'EN VEUX
ET PUIS C'EST BIEN CONNU : LES FILLES N'AIMEN
PAS FAIRE DES GALIPETTES AVEC DES CRADOS
OH
TOUT BEAU TOUT PROPRE
N'EMPÊCHE...
SE LAVER POUR SE RE-SALIR AUSSITÔT..
QUELLE PERTE DE TEMPS
ENFIN, POUR LES FRINGUES, IL Y A LES LAVOMATIC.
..ET LEURS CLICHÉS IMBÉCILES

ET À PRÉSENT : DODO
AAAH
BIEN MANGÉ
TOUT PROPRE
AAAH.. LA SATISFACTION D'UNE JOURNÉE BIEN REMPLIE
MOI, AU CHÔMAGE, JE SUIS TOUT LE TEMPS OCCUPÉ
QUAND C'EST QU'ILS VIVENT, LES GENS QUI BOSSENT ?
ET SI LE TRAVAIL C'ÉTAIT LA VIE ?
? ? ?
ALORS UN TRAVAIL DE MERDE, ÇA VOUDRAIT DIRE UNE VIE DE MERDE ?
! !
.. ET PAS DE TRAVAIL, CE SERAIT PAS DE VIE !
JARDIN PUBLIC
A CE STADE DE RÉFLEXION, MIEUX VAUT ALLER SE COUCHER

OÙ DORMIR ?
LES VILLES REGORGENT DE VRAIS P'TITS NIDS
QUEL 5 ETOILES OFFRIRAIT UN CADRE PAREIL ?
ON PEUT SQUATTER LES GARES DE NUIT...
... OU BIEN LES WAGONS NON UTILISÉS
RÔÔÔÔ ZZZ
C'EST CELU LÀ QUI PART C'TE NUIT ?
BAGDAD AVIGNON
LES PAILLASSONS D'IMMEUBLE SONT DE VRAIS MATELAS..
ALORS QUOI ?
ÇA VA PAS D'ALLER BOSSER AUSSI TÔT ?

POUR DORMIR
UN CARTON DÉPLIÉ EST IDEAL POUR S'ISOLER DU SOL
ZZ
DES SACS POUBELLE POUR S'ISOLER DES REGARDS ET DU VENT
CHOIX DU DUVET : PRÉFÉRER LES 2 PLACES
HEP
TU VEUX UNE TITE PLACE ?
DÉCIDÉMENT..
T'ES UN VRAI ROMANTIQU TOI
LE HAMAC, C'EST AU-DESSUS DE TOUT...
ROÔÔ ZZZ
SI TI PLI, M'SIOU
TI PEUX PAS RISTI LĂ

VIVRE CHEZ SES POTES, C'EST ENCORE LE
MEILLEUR MOYEN DE LES VOIR

ETYMOLO-
GIQUEMENT
...

"CASANIER, ÇA VIENT
DE "CASÉ", NON ?

WARF,
L'AUT'

NE JAMAIS OUBLIER : C'EST TOUJOURS LE DERNIER
ARRIVÉ QUI S'ADAPTE AUX AUTRES,
ET PAS L'INVERSE

J'AI BU POUR
FAIRE COMME
LUI...

QUAND ON SQUATTE, IL FAUT RESPECTER
LES TOURS DE VAISSELLE...

LE BON SQUATTEUR SE JOINT AUX TÂCHES MÉNAGÈRES

SQUATTER DEMANDE BEAUCOUP DE **PSYCHOLOGIE**...

UN GRAND SENS DU **CONTACT HUMAIN**

MAIS **ATTENTION** AVEC LES COPAINS..

SI ON VEUT GARDER LES **PIEDS** SOUS LEUR **TABLE**,
MIEUX VAUT ÉVITER LES **MAINS** SUR LEUR COPINE

L'AMOUR EST UN EGOÏSME À DEUX

PUTAIN, C'EST COOL LES GENS PAS RANCUNIERS...

SQUATTER UNE COPINE
...C'EST JOINDRE L'UTILE À L'AGRÉABLE...
MA VIEILLE CONCAVITÉ
MA VIEILLE CONVEXITÉ !!
CURIEUSEMENT, IL Y AURA TOUJOURS UNE FEMME
S'INTÉRESSER AU DERNIER DES POUILLEUX...
COMMENT TU TROUVE
MON P'TIT INTÉRIEUR
... UN VRAI QUATRE ÉTOILES !
PAREIL POUR LES GALÉRIENNES, EN PLUS SORDIDE
SI JE T'OFFRE UNE DOUCHE ...
... JE POURRAI T'ASTIQUER ?

UNE FEMME, ÇA TE RÉCHAUFFE L'INTÉRIEUR COMME L'EXTÉRIEUR

MES P'TITS CHÉRIS...

COMME VOUS AVEZ DU AVOIR FROID

BOM BOM

LES FEMMES À GALÉRIENS SONT PARFOIS DES DOMINATRICES QUI CHERCHENT DES PROIES FACILES

J'TE VEUX!

ET POUR VOULOIR, IL FAUT LE POUVOIR!

OU, AU CONTRAIRE, DES FEMMES PEU SÛRES D'ELLES

MOI QUI NE SUIS QU'UNE PETITE MERDE

...NE POUVAIS AIMER QU'UN TROU DU CUL COMME TOI!!

?

AH! LE DIVIN INSTINCT MATERNEL DE NOS COMPAGNES
T'ES BIEN, MON CHÉRI?
UN BAIN DANS DU LAIT D'ANNE
...UN BONHEUR À L'EGYPTIENN
C'EST TOUJOURS RASSURANT DE S'OCCUPER D'UN PLUS FAIBLE QUE SOI
MON CÔTÉ SEIN-BERNARD
AH OUI! FAIS-MOI L'AVALANCHE!
LA RICHESSE DU COEUR EST INVERSEMENT PROPORTIONNELLE À CELLE DU PORTE-MONNAIE
T'AURAIS DE LA MONNAIE POUR LES COURSES?
NON! MAIS JE VEUX BIEN LES FAIRE
...DE BON COEUR

HÉLAS !! C'EST TOUJOURS PAREIL : CES QUALITÉS QUI NOUS ONT FAIT NOUS AIMER...
TOI, AU MOINS, T'ES PRÉSENT
... DEVIENNENT LES DÉFAUTS QUI NOUS FONT NOUS MAUDIRE UN JOUR...
ET SINON...
T'EN AS JAMAIS UN TOUT P'TIT PEU MARRE D'ÊTRE AUSSI PRÉSENT ?
DERRIÈRE TOUT HOMME DÉCHU IL Y A UNE FEMME DÉÇUE
DIS DONC, COCO..
J'SUIS PEUT-ÊTRE BONNE..
MAIS J'SUIS PAS TA BONNE

BIEN SÛR, CE MODÈLE DE GALÉRIEN...
JE T'EMMÈNE EN BATEAU?
... EST NETTEMENT MI
COTÉ (EN BOURSES) QUE CELUI-CI
IL TE MÈNE EN BATEAU

LA GALÈRE, CA POURRAIT ETRE SI ROMANTIQUE...
VA JOUER DANS LE METRO, ROMÉO...
...PAS DE PÉPETTE, PAS DE QUÉQUETTE

PLUS ROMANTIQUE, EN TOUT CAS, QU'UN COUPLE QUI A "RÉUSSI"
JE SUIS LE PRINCE DE LA PLAYSTATION
JE VOULAIS UN PRINCE CHARMANT
J'AI EU UN ROI FAINÉANT
CHAQUE GALÉRIEN EST UN APPEL À LARGUER LES AMARRES
QUAND ON "LARGUE LES AMARRES"
ON COMMENCE PAR "LARGUER"
AÏE
Y'A UN CORTO MALAISE, LÀ
CONCLUSION :
... QUAND ELLES LARGUENT LES AMARRES
... ELLES COMMENCENT TOUJOURS PAR SE DÉTACHER D'UNE BITE

LES PARENTS RESTENT NOS ÉTERNELS RÉFÉRENTS...
LA MÈRE, "LA FEMME ÉTERNELLE"
LE PÈRE, "L'HOMME À DÉPASSER"
MON RÔTAILLON CÉLIBATAIRE..
FIDÈLE À SA MAMAN
T'AS RÉUSSI, FILS...
PLUS MINABLE QUE MOI, FALLAIT ÊTRE BALAISE
LES HOMMES S'IMAGINENT FAIRE DES ENFANTS..
..ALORS QU'ON NE FAIT QUE DE FUTURS ADULTES
LUI C'EST PAS PAREIL
...IL EST IMMATURE!
UN PARENT PAUVRE EST UN PARENT ÉLOIGNÉ..
T'ES UN PEU DUR AVEC MOI, P'PA
C'EST LE PROPRE DE CEUX QUI ONT EU UNE VIE DE MOU, FISTON

LLEZ!
ON VA FAIRE À L'EFFICACE
... À L'AMÉRICAINE
ON COMMENCE PAR OUVRIR
'AI VOULU CROIRE À LA NVIVIALITÉ
J'AIME TROP LES GENS
C'EST PAS FORCÉMENT RÉCIPROQUE
DISPENSABLE: VITE REMPLACER LE VERROU
COMME ÇA, Y'A PAS OFFICIELLEMENT D'EFFRACTION
PAS FLICS
PAS PRISON
PAS SODOMIE SOUS LA DOUCHE

POUR OFFICIALISER UN SQUATT, IL FAUT FAIRE INSTALLER RAPIDOS UN *COMPTEUR E.D.F.* (A BLOQUER AUSSITÔT)

COMME ÇA, J'AI UNE **ADRESSE** POUR MON R.M.I.

INVIRABLE

LA RUE EST RICHISSIME EN *MOBILIER*

..SURTOUT DANS LES QUARTIERS BOURGES

ON AURAIT DU TOUS LES BRULER

LES MEUBLES OU LES PAUVRES ?

BIEN SÛR, CES MAISONS ONT PARFOIS DES PROPRIOS

DÉSOLÉ

ON NE PEUT RIEN FAIRE AVANT LE PRINTEMPS

ET ENCORE, SI LA PROCÉDURE ABOUTIT À TEMPS

AVOIR UNE MAISON, C'EST PARFAIT POUR RECEVOIR..
...DES COUPS DANS LA GUEULE
C'EST PRÉCIEUX, LES CAMARADES DE GALÈRE
QUAND ON A BEAUCOUP RAMÉ...
...ON SAIT TAPER
MES AMIS
APRÈS AVOIR TAPÉ CES CONS
..ALLONS NOUS TAPER DES MOUSSES ET DES CÔNES
EST TOUJOURS AREIL AVEC CAPITALISME
ON VEUT POSSÉDER
...
..
ON FINIT PAR SE FAIRE POSSÉDER
LAISSEZ TOMBER
LA PHILO NON PLUS C'EST PAS VOTRE TRUC...

AH! LES COPAINS..
QU'EST-CE QU'ON NE FERAIT PAS SANS EUX?
ON FUMERAIT PAS DES TAS DE JOINTS
ON BOIRAIT PAS DES TAS DE CANONS
ON DIRAIT PAS DES TAS DE CONNERIES
AVEC LES POTES, ON EST TOUJOURS UN GOSSE
J'ME TÉTERAIS BIEN UN P'TIT TÉTON
LES AMIS, C'EST CEUX QUI NOUS CONNAISSENT BIEN COMME ON EST ET QUI NOUS AIMENT QUAND MÊME..
SACRÉ FUMIER DE TRICHEUR!
T'ES TOUJOURS AUSSI CON, TOI...
J'COMMENCE À EN AVOIR MARRE DE VOIR VOS GUEULES, LES GARS
TAS DE NAZES

HÉLAS! SOUVENT L'AMITIÉ TROUVE SES LIMITES LÀ OÙ L'AMOUR IMPOSE LES SIENNES
J'Y VAIS, LES GARS, SINON MA DOUCE VA ME TUER
MAIS ON COMPREND
SÛR
L'AMITIÉ, C'EST LE MEILLEUR MOYEN D'ÊTRE SEULS À PLUSIEURS
... ET NOUS, D'ABORD, LES FILLES..
.. ON S'EN BRANLE
ASTICOTI ASTICOTA
BRANLI BRANLO
POURQUOI CHOISIR ENTRE L'AMOUR ET L'AMITIÉ?
COMMENCE PAS À FAIRE TON VERLAINE, MOMO...
QUEL RELOU DEPUIS QU'IL A ÉTÉ EN GRÈCE, LUI...

POURQUOI LES ZONARDS, QUI N'ONT RIEN, S'EMBARRASSENT-ILS D'UN CHIEN, QUI LEUR COÛTE DES RONDS ET LES GRILLE PARTOUT ?

POUR SE **PROTÉGER** ?

UNE P'TITE PIÈCE MON BON PRINCE ?...

".OU JE LAISSE MON CHIEN ME PROTÉGER ?!!

POUR GARDER UN SEMBLANT DE **POUVOIR** ET D'AUTORIT QUAND ILS N'EN ONT PLUS SUR RIEN NI PERSONN

AU **PIED**, LÉVY

À MA **BOTTE** !

POUR L'**AMOUR** QU'IL LEUR PROCURE ?

ON **LÈCHE** LA MAYONNAISE

ON NE **MORD PAS** LE NONOS

PARCE QUE LE CHIEN EST UN ANIMAL FIDÈLE?
..ET JE SUIS COMME MON CHIEN...
...TU REMUES LA QUEUE QUAND TU VEUX QUELQUE CHOSE?
PARCE QUE LE CHIEN EST NATURELLEMENT JOUEUR.
.. ET JE SUIS COMME MON CHIEN..
JOUEUR ?
ENRAGÉ?
GRRR
CONCLUSION:
ALLEZ! CASSE-TOI
MA LIBERTÉ, CE N'EST PAS D'AVOIR UN ESCLAVE

...N'EMPÊCHE JE ME SENS UN PEU CON, LÀ, IMMOBILE DANS MA BARAQUE, À PRÉSENT
QUAND JE MARCHAIS, AU MOINS, J'AVANÇAIS...
TOUT CE VIDE REMPLI DE MOI, ÇA M'ANGOISSE
FAUT COMBLER LES TROUS
Y M'FAUT UNE TÉLÉ
IL ME FAUT DES OBJETS
UN PIEU
UN FRIGO
DU FRIC POUR ACHETER ÇA
DONC DU BOULOT
BOSSER ?!
JE DÉBLOQUE
SI JE METS UN PIED DANS L'ENGRENAGE DU MATÉRIALISME, JE SUIS BAISÉ !
EST-CE QUE GAGNER MA VIE, C'EST VENDRE MON ÂME ?

C'EST VRAI QUE SI JE BOSSAIS...
JE POURRAIS ME PAYER UNE FEMME BONNE
ÇA A ÉTÉ, AU BOULOT, MON Z'AMOUR ?
POURTANT, JE SAIS PARFAITEMENT QUE LE CUL PAYANT EST LE MOINS ONÉREUX
T'AS RAISON : FAUT POSITIVER
MOI QUI VOULAIS VIVRE D'AMOUR ET D'EAU FRAÎCHE
BEN J'AI MÊME L'EAU CHAUDE
MOI, J'ARROSE LA MISÈRE HUMAINE
ET MOI JE L'ÉPONGE
MORALITÉ
.. IL FAUT QUE JE GAGNE MON PROPRE LIQUIDE
ANNONCES

AH! LES BISTROTS...

DANS LE DÉSERT DE LA GALÈRE, LE BISTRÔT EST UNE OASIS

LA ST BACCHUS Y EST FÊTÉE TOUS LES 5 DU MOIS

UN AUTRE CHÂPITRE DU "GRAND CATALOGUE DE LA FAUNE HUMA...

LE BISTROT, C'EST LE BERCEAU DE TOUTES LES UTOPIES
SI ON MONTAIT UNE START UP?
AH OUAIS
FAIS-MOI UN ENFANT
SNIF
J'ARRÊTE DE BOIRE
.. ET LEUR CIMETIÈRE DES ÉLÉPHANTS
SI ON FAISAIT PLUTÔT UN HOLD-UP?
FAIS-MOI PAS CHIER
SNIF
J'ARRÊTE D'Y CROIRE
E BISTROT PEUT AUSSI ÊTRE UN MOTEUR
SI TU PAYES PAS TON ARDOISE..
TU BOIS PLUS
JE VAIS BOSSER POUR TE PAYER
MOTIVÉ!

MÊME QUAND ON NE SAIT RIEN FAIRE, ON PEUT FAIRE UN TAS DE JOBS
SERVEUR
PLONGEUR
LA BOUFFE, C'EST BIEN CONNU..
ÇA FAIT CHIER
VENDANGEUR
ROOOTÏRK
"... ET PAS "VIDANGEUR"
ARF
ARF
MANOEUVRE
ET ALORS. MOI AUSSI JE LIVRE MES PLANCHES
SANS ME LA FRIMER COMME CES BRANLEURS DE LA BD
MARCHAND DE RUE
ET VOUS VENDEZ QUOI?
DES FRUITS

REFUSER LE TRAVAIL, C'EST PLUS QU'UNE PHILOSOPHIE, C'EST UN COMBAT DE TOUS LES JOUR
...POUR SE LIBÉRER DES LIBÉRAUX
...C'EST ACCEPTER SON STATUT DE PETIT, DE LOSER
FAINÉANT!
PEUT-ÊTRE
MAIS JE SUIS AU TOP DES FAINÉANTS ...
ALORS QUE T TES AU BAS DE L'ÉCHEL DES TRAVAILLEU
...C'EST LE TRAVAIL QUI A ARRACHÉ L'HOMME À SON TRANQUILLE ÉTAT ORIGINEL
CHASSER
BOUFFER
BAISER
LE BONHEUR

E TRAVAIL A ÉTÉ INVENTÉ PAR UN CHÉTIF PETIT MERDAILLON QUI N'AURAIT JAMAIS SURVÉCU SANS CELA
ECONOMISONS NOS EFFORTS
SI ON FOUT CE MAMMOUTH DANS DE LA GLACE. ON PEUT LE CONSERVER
... PLUS BESOIN D'AUTANT CHASSER
ORGANISONS-NOUS !
... TOI. VA CHERCHER DE LA GLACE..
... TOI. CONTINUE DE DÉBITER LE MAMMOUTH
AINSI NAQUIT LE PREMIER PATRON..
ET TOI, VIENS VOIR ICI
... PENDANT QUE LES COSTAUDS SONT AU TURBIN
MAIS IL EST TOUT VILAIN !
T'ES HAS BEEN MA FILLE
..LE POUVOIR A CHANGÉ DE FORME !
AINSI SE PERPÉTUA LA RACE DES PATRONS

... JUSQU'AUX PATRONS D'AUJOURD'HUI
TOI, VA ME CHERCHER DE LA GLACE
PLUTÔT CREVER ...
.. QUE DE SERV OU D'ÊTRE ASSERV PAR UN PATRON
MONSTRE TRAVAILLOPHAG
ACQUÉRIR LA RÉUSSITE PAR LE TRAVAIL ET LE POUVOIR PAR LA RÉUSSITE EST AUSSI VULGAIRE QUE DE PRÉTENDRE ACHETER L'AMOUR
?
PROLÉTAIRE MON CUL!
... TU N'ES QUE LA PUTE DU TRAVAIL
TON MAQUEREAU C'EST LE PATRON
LE REFUS DU TRAVAIL
C'EST LE REFUS DE LA HIÉRARCHIE, DU POUVOIR
LA VOILÀ, LA VRAIE RÉVOLUTION
T'ENTENDS, RORO?
ON SE CROI DES ZÉR
ON EST DES HÉROS
IL FAUT SAVOIR REFUSER !!

JE VEUX... TRAVAILLER BÉNÉVOLEMENT
NOURRI
LOGÉ
DROGUÉ
ET J'ME VIRE QUAND JE VEUX
FAIRE LE TOUR DES FESTIVALS
LA CLASSE
J'BOSSE POUR MICK JAGGER
PAS UNE
RAISON PO
ÊTRE TOUJ
STONE
PARTIR EN CONVOI HUMANITAIRE
Y'AURA DES RÉFUGIÉES?
QUI NE
SERONT PLU
À UN OU DE
VIOLS PRÈ
...

JE VEUX... VIVRE AVEC LE LUXE
DEVINE CE QUE JE T'AI VOLÉ AU SUPERMARCHÉ
OOOH MON P'TIT PAUVRE...
... QUI PREND DES RISQUES POUR MOI
VIVRE EN PARASITE
R.M.I.
ALLOC' LOGEMENT
ADULTE HANDICAPÉ
.. ET J'AI ENCORE DE L'AMBITION
OH...
MON BERNARD TAPIE DES CANI-VAUX
ME TAPER LA CLOCHE
LE MONDE VU PAR EN BAS ...
... C'EST POUR LES FINES GUEULES

JE VEUX... M'ADRESSER AUX AUTRES
ROUMAINE - RÉFUGIÉE VIOLÉE - TROIS ENFANTS - MALADE CHARITÉ -
APRÈS C'EST MON TOUR
J'AI LE TRAC
TEXTE
SECOUER LES GENS
NON À L'INDIVIDUALISME
OUI À LA CONVIVIALITÉ
ET SI SE PRÉFÈRE LA BRANLETTE À LA PARTOUZE, MOI ?
ARF
CHANGER LE MONDE
IL EST PAS FINI !
7 JOURS, C'ÉTAIT PAS ASSEZ !
HÉ HO !
TU CROI QU'IL Y A QUE TOI QUI N'AIMES BOSSE

JE VEUX.. PAS ALLER EN PRISON
ON VA TE DÉPOUILLER
TE TRAUMA TISER
TA GUEULE AVERELL
..TE BOUFFER LE CUL!
FINIR DANS LA DÉLINQUANCE
PAS DE SOUCIS
C'EST LA DÉLINQUAN QUI EST DANS TOI, LA
ARF ARF
TOURNER EN ROND
T'AS FAIT QUOI, HIER?
J'AS ÉTÉ EN BOÎTE

JE VEUX... APPRÉCIER LA SOLITUDE
PAS DE MATON?
PAS DE CODETENU?
INCROYABLE!
LIBRE!
RÊVER
AAAHH...
QUE LA VIE EST BELLE
CONTEMPLER
TIENS? QUI REVOILÀ?
J'AVAIS PRESQUE OUBLIÉ LE CONCEPT "FILLES"

JE VEUX... TOMBER DANS LE CANIVEAU DE TEMPS EN TEMPS
P.M.U
TOMBER LA CHEMISE
LAISSE TOMBER
VIVRE TRANQUILLOS AU RYTHME DE LA NATURE
TU SAIS QUE JE T'AIME, TOI....
... QUAND T'AS LE FEU AU CUL
CHOISIR L'HÉROÏNE DE MA VIE
UN MOT DE TOI ET JE DEVIENS TON ESCLAVE
DÉCROCHE...

JE VEUX... NE PAS CRAINDRE DE VIEILLIR
VIENS AVEC MOI
MOI JE T'AIME
DÉGAGE, DARK VADOR...
J'AIME PAS LES PLATES MAIGRES
FINIR PEINARD, PAUVRE ET HEUREUX
MONSIEUR TIRE LA TRONCHE ?
J'AI ÉCHOUÉ, ARMAND
J'AI PAS PU M'EMPÊCHER DE DEVENIR RICHE
PLANTER DES RACINES LÀ OÙ IL Y A DE L'EAU
OUH
LA MER...
...C'EST IDÉAL POUR PÊCHER LES MOULES

E VEUX... ETRE BIEN DANS MA PEAU
PUTAAIIIN
AVEC LES TABLETTES DE CHOCOLAT ET TOUT..
MMH
TU M'FAIS GÔUTER TON BOUNTY?
OIR LA VIE EN ROSE
ÊTRE NOIR ET DE DROITE
..C'EST COMME CRACHER ET DIRE QU'IL PLEUT...
ETRE SANS-PAPIERS C'EST LA MERDE
TRE DIFFÉRENT DE LA MAJORITÉ
NALEMENT, J'VAIS S M'PLAINDRE D'ÊTRE NOIR..
J'AURAIS PU ÊTRE JUIF..
...OU ARABE
...OU RACISTE
ALLEZ. KSS!! KSSS!!
METTEZ VOUS SUR LA GUEULE

E VEUX PAS... ÊTRE ENRACINÉ
AïE PAS AINTENANT
..QUAND JE SERAI ENTERRÉ
VAS-Y, HÉ!
TRAITE-NOUS DE CUL-TERREUX, TANT QUE TY ES
ETRE RÉDUIT AU TOUR DE PÂTÉ DE MAISON
QUI A DIT: "L'AVENTURE EST AU COIN DE LA RUE?"
CI MOI!
J'AI DIT "LA DEVANTURE"
SOUVENIR EXOTIQUE?
RAMENÉ POUR TOI DI BLED
RÉALISER QUE C'EST PARTOUT PAREIL
C'EST AUX
LES FLICS SONT PARFOIS PIRES AILLEURS
NE REGARDE PAS LE BLANC
TU VAS LE SALIR

LES TOXICOS, LES ALCOOLOS ?
ON SE DROGUE
... POUR NOUS OBLIGER À NOUS AIMER
Ç'EST ÇA, LES MECS
AUTOVIOLEZ VOUS
PLUTÔT QU'EMMERDER LES FILLES
LES "ARTISTES" MAUDITS ?
MA PEINTURE EST TROP EN AVANCE
... ET VOS LOYERS TROP EN RETARD
LA GALÈRE SE CONJUGUE À L'IMPARFAIT
... TANT QU'ELLE NE SE CONJUGUE PAS AU PASSÉ
MOUAiiiS
... THÉORIE À METTRE AU CONDI-TIONNEL

LES VRAIS GALÉRIENS
C'EST EUX!
OÙ VEUT-ELLE EN VENIR?
LES HANDICAPÉS
TU M'AIDES À MONTER L'ESCALIE
TU M'FAIS FAIRE PIPI AVANT?
LES MAL-NÉS
JI SUIS PAS NÉ DANS LE BON PAYS
JE SUIS PAS NÉ DANS LA BONNE PEAU
JE SUIS PAS NÉ DU TOUT
LES GOSSES DE TARÉS
APRÈS ÇA...
... TU PASSERAS À TABLE AVEC TA SOEUR

LES MALADES
EST-CE QUE LA LAIDEUR EST UNE MALADIE?
OUI... SI ELLE EST DÉNUÉE DE TALENT
S. GAINSBOURG 1928 - 1991
ES VACHES, LES MOUTONS, LES CRÈVE-LA-DALLE
N'APPROCHEZ PAS
ON A EU ASSEZ D'EMMERDES QUAND ON VOUS A LAISSÉ LE SIDA
ET LES EMMES SEULES ...
... ABANDONNÉES AVEC LEURS ENFANTS
AH! NOUS Y VOILÀ
J'ME DISAIS AUSSI: "QUEL ALTRUISME"

GALÈRE DE NANA
PAR ESSENCE, UNE FEMME (SURTOUT SEULE ET JOLIE) ES
UNE PROIE POUR LES HOMMES
J'VEUX UN HOMME FORT
...POUR ME PROTÉGER DES AUTRES HOMMES
ARF
MIAM
RAHAÂ
URF URF
.. MAIS Y'A QU'AUPRÈS D
FAIBLE QUE J'ME SENS FO
ELLE EST UN PRÉDATEUR POUR LES AUTRES FILLES
PFF
FRANCHEMENT, QU'EST-CE-QUE TU FOUS...
... AVEC UN ME QUE T'AS L DE SI BIE CONNAÎTR
C'EST AUSSI UN HANDICAP D'ÊTRE TROP JOLIE
J'AI UN COEUR, AUSSI
AH OUI
..ET FORT TENDRE MA FOI !!
C'EST UN COEUR, QUE T'AS DERRIÈRE AUSSI ?

MAIS LE DÉSIR DES MECS, À LA LONGUE, C'EST **GONFLANT**

C'EST TOI QUI EST GONFLÉ !!

J'T'AI PAS FAIT CE GOSSE DANS LE DOS

SI !

IL SUFFIT QUE J'ME CASSE ...

ET IL EST DANS MON DOS

ET LA **BEAUTÉ** EST UNE VALEUR **PÉRISSABLE**

QUE J'TE REVOIE RÔDER AUTOUR DE MON GUIGNOL AVEC TON POLICHINELLE

.. ET JE T'ÉCLATE LE TIROIR POUR DE BON

ARF

MON PAUVRE CHÉRI

POURQUOI SE SENT-ON ENCORE PLUS SEUL ...

..QUAND ON EST DEUX À ÊTRE SEUL ?

GALÈRE DE NANA (AVEC GOSSE)

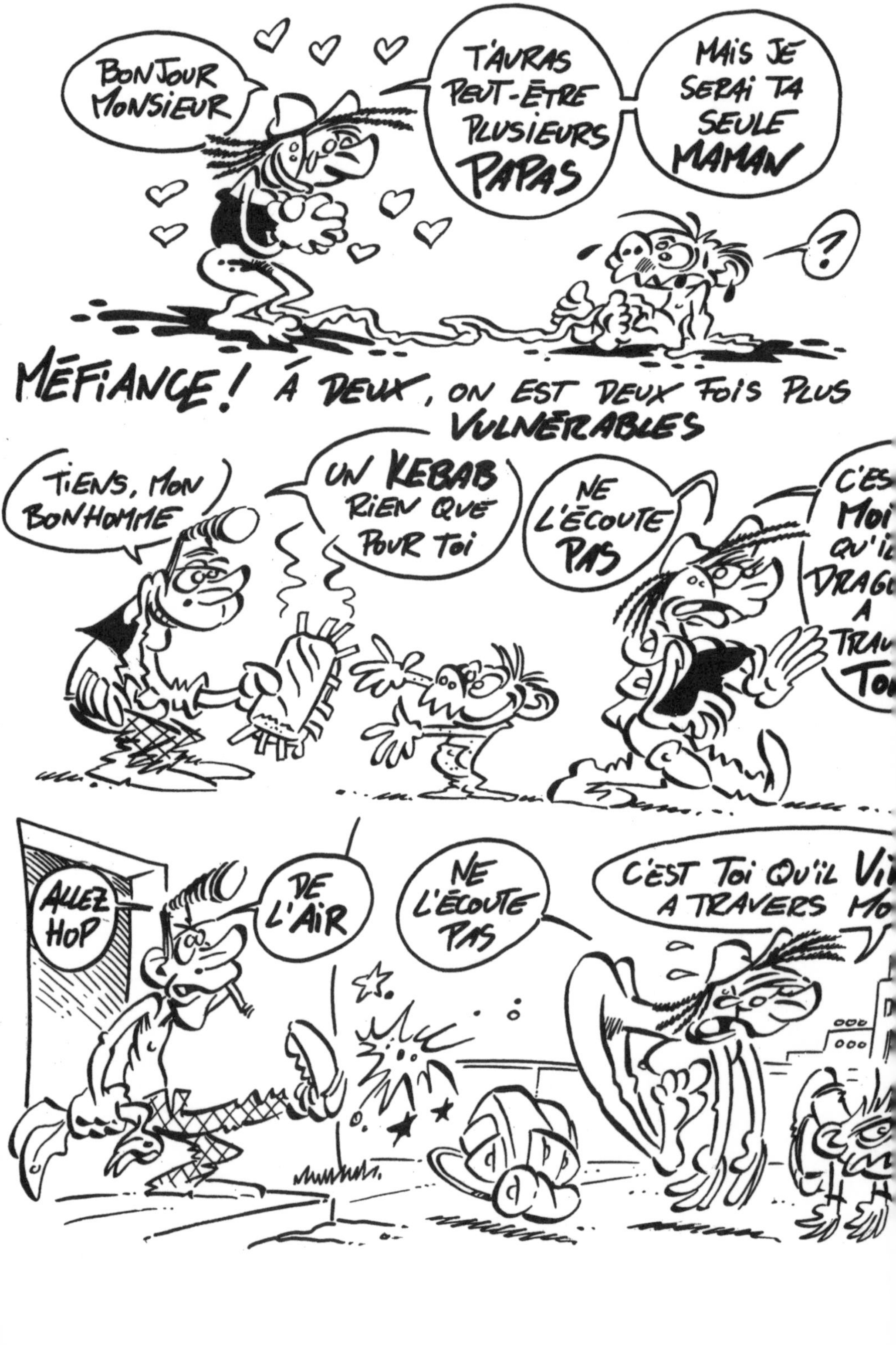

MOINS, UNE FEMME AVEC ENFANT N'EST PLUS UN DANGER
OH! REGARDE MINOU..
LE MIGNON P'TIT BONHOMME
QUBIQUE
CA DÉPEND
NE T'APITOIE PAS SUR CETTE ROULURE
POURQUOI TU CROIS QU'ELLE EST TOUTE SEULE?
A DEUX, ON EST AUSSI DEUX FOIS PLUS FORTS
SAUF QUE C'EST MOI QUI DOIS ÊTRE FORTE POUR LES DEUX
T'EN FAIS PAS, MON Z'AMOUR ...
TOI AUSSI T'ES BIEN ASSEZ FORTE POUR NOUS DEUX

ET PUIS, IL Y A CETTE PUTAIN DE
CULPABILITÉ
QUEL EST L'AVENIR POSSIBLE POUR UN GAMIN QUI N'A PAS DE PRÉSENT
AU BON KEBAB
MENU
QUAND JE PENSE QUE JE T'AI FAIT SAUTER SUR MES GENOUX
J'PEUX TE SAUTER A GENOUX, A PRÉSENT
PLAISANTE PAS AVEC ÇA!
OK OK
SI ON PEUT PLUS RIGOLER AVEC LES TRUCS GRAVES

UPABLE DE LAISSER LA ZONE SALIR L'ENFANCE
TIENS, P'TIOT
J'T'AI FABRIQUÉ UN BIBERON
QU'EST CE QU'ON DIT?
OUPABLE D'ÊTRE UNE MAUVAISE MÈRE
NOURRIR SON FILS AU SANDWICH
QUELLE HONTE
SON KEBAB C'EST SON DOUDOU
J'Y PEUX QUELQUE CHOSE?
OUPABLE AUX YEUX DE LA LOI
HORS LA LOI
MÉCHANTE
MAUVAISE
A LA D.A.S.S.
AISSER UN ENFANT S.D.F. EST UN DÉLIT

ET LE PRINCE CHARMANT ?
IL ATTEND QUOI, CE CON ?
... POUR ME SORTIR DE MA MERDE
ON M'A BRULÉ MON CHEVAL
CETTE HISTOIR DE FIÈVR APHTEU C'EST SCANDA
MALGRÉ LEURS EFFORTS, LES FÉMINISTES N'ONT PAS RÉUSSI À LE ZIGOUILLER, CELUI-LÀ...
ARRIÈRE BANDE DE GOUINES
MACHO
ACTION MAN
ON VA T'COUPER LA BITE
QUAND ON RÊVE DE ÇA...
ON VA FAIRE LE TOUR DU MONDE ?
... QUELLE VALEUR PEUT-ON DONNER À ÇA ?
ON VA FAIRE UN TOUR DE MOB ?

ÉLAS! IL N'Y A QUE DANS "PEAU D'ÂNE" QUE LES PRINCES ÉPOUSENT LES POUILLEUSES
MOI, CE SERA STEPH' DE MONAC OU RIEN
PUISQUE LADY DI A CREVÉ AVEC SON ARABE
DANS "PRINCE CHARMANT", IL Y A "CHARMANT"
SI C'EST POUR VOIR OUTES CES PÉTASSES TOURNER AUTOUR
NON MERCI
SI C'EST POUR SE FAIRE PRENDRE LE CHOU PAR UNE GROGNASSE
NON MERCI
RENONCER AU MYTHE DU PRINCE CHARMANT...
... EST-CE ACCEPTER LA MÉDIOCRE RÉALITÉ ?
PFFRR
NON, MAIS DIS DONC, JE TE REMERCIE ...
... PRINCESSE"

EST VRAI IL EST MAL, TON JATT
FEMME SEULE AVEC UN ENFANT ...
..T'ES INVIRABLE
QU'EST-CE QUI TE FAIT CROIRE QUE MOI E VEUX VIVRE AVEC TOI ...
..OU AVEC N'IMPORTE QUEL AUTRE ?
TU VIVRAS PAS AVEC MOI..
J'ME CASSE
WÂÂÂH
GROS MALIN
SI TU CROIS QUE JE VAIS FAIRE LA BONNICHE EN ATTENDANT TES VA-ET-VIENT ...
JE NE REVIENDRAI PAS
UNE MAISON. C'EST PAS POUR MOI

ON THE ROAD AGAIN

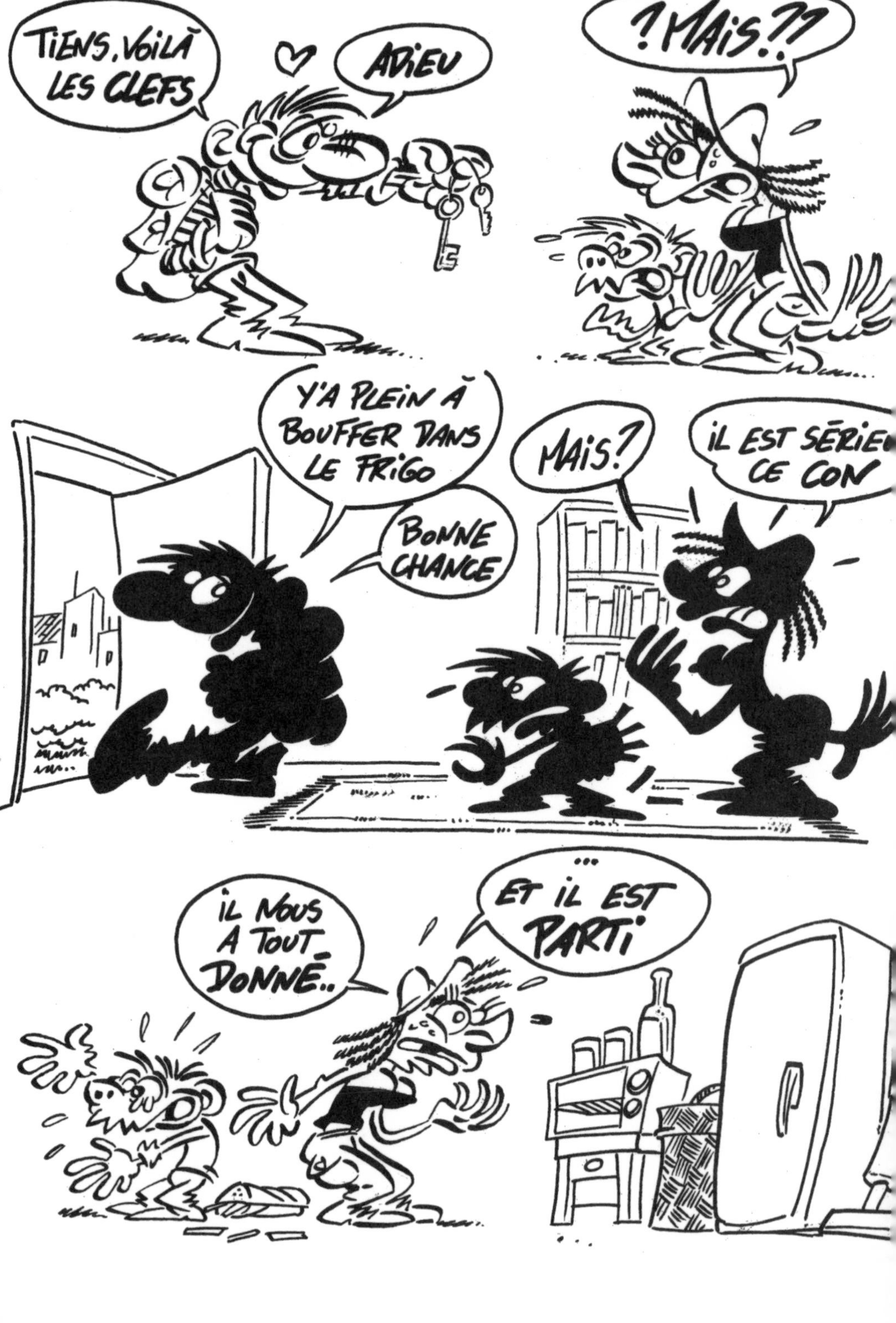

Imprimé par Pollina s.a., 85400 Luçon n° L84355